FELIX MENDELSSOHN-BARTHOLDY

STRING QUINTET

A major / A-Dur / La majeur
Op. 18

Ernst Eulenburg Ltd
London · Mainz · Madrid · New York · Paris · Tokyo · Toronto · Zürich

MENDELSSOHN

String Quintet No. 1 in A major, Op. 18

The A major is the earlier by nearly twenty years of Mendelssohn's two string quintets. He wrote the first version in 1826 when he was seventeen, and it thus stands between two of his finest chamber works, the Octet of 1825 and the A minor string quartet of 1827. The middle movements consisted of a fugal scherzo and a minuet in F sharp minor. In Paris early in 1832 Mendelssohn revised the quintet; the scherzo became the third movement and the minuet was scrapped in favour of an intermezzo written in memory of Eduard Rietz, who had just died. Rietz, who was also the dedicatee of the Octet, had given Mendelssohn violin lessons in 1824 and won his respect and affection. The quintet was published in parts by Breitkopf and Härtel in the spring of 1833.

Streichquintett Nr. 1 in A-Dur, Op. 18

Mendelssohn hat zwei Streichquintette geschrieben; das Quintett in A-Dur ist fast zwanzig Jahre früher entstanden als das zweite. Die erste Fassung des vorliegenden Werks stammt aus dem Jahre 1826, als Mendelssohn siebzehn Jahre alt war, und steht also zwischen seinen beiden bedeutendsten Kammermusikwerken, dem Oktett aus dem Jahre 1825 und dem 1827 komponierten Streichquartett in A-Moll. Die Mittelsätze bestanden aus einem fugierten Scherzo und einem Menuett in Fis-Moll. Mendelssohn hat das Quartett Anfang 1832 in Paris überarbeitet. Das Scherzo wurde zum dritten Satz, und anstelle des Menuetts trat ein Intermezzo im Angedenken an den kürzlich verstorbenen Eduard Rietz. Rietz, dem auch das Oktett gewidmet ist, hatte Mendelssohn 1824 Violinunterricht gegeben und seinen Respekt und seine Freundschaft erworben. Das Quintett wurde von Breitkopf & Härtel im Frühjahr 1833 in Stimmen veröffentlicht.

Quintet No. 1

I

F. Mendelssohn–Bartholdy, Op. 18
(1809–1847)

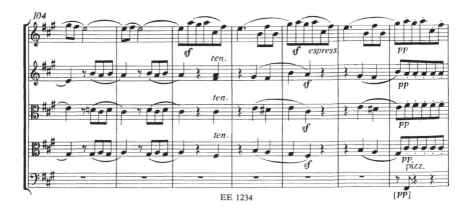

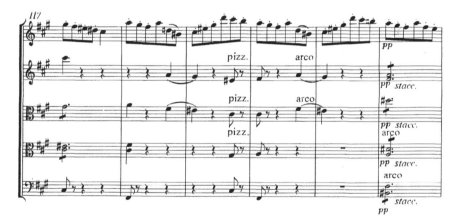

EE 1234

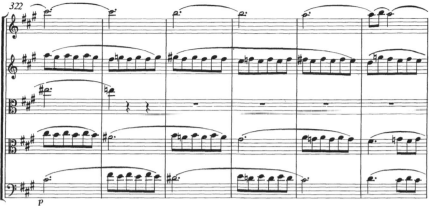

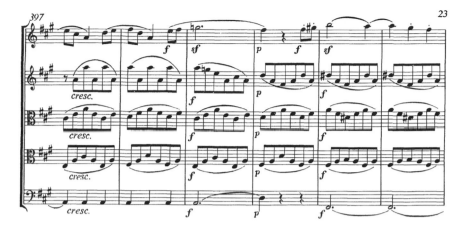

ritard.

II
INTERMEZZO

Andante sostenuto

28

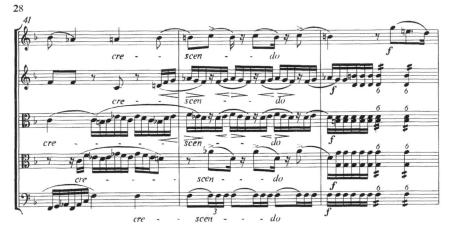

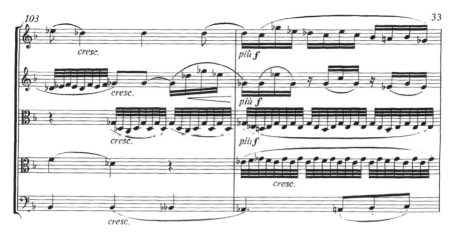

III
SCHERZO

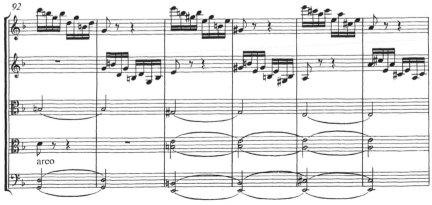

EE 1234

46

48

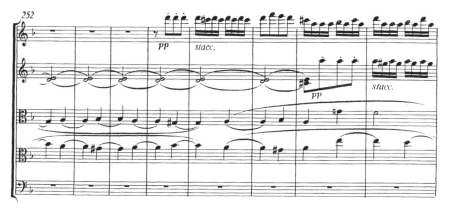

[*stacc.*]

285

292

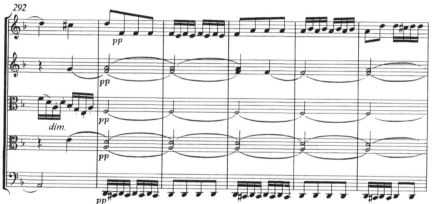

298

IV

Allegro vivace

54

EE 1234

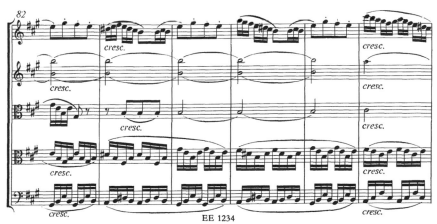

62

64

EE 1234